BILBO

Collection dirigée par
Stéphanie Durand

Noémie

Dans de beaux draps

Projet dirigé par Geneviève Brière, éditrice

Conception graphique : Célia Provencher-Galarneau
Mise en pages : Benjamin Dubé et Pascal Goyette
Révision linguistique : Eve Patenaude et Chantale Landry

Québec Amérique
329, rue de la Commune Ouest, 3ᵉ étage
Montréal (Québec) H2Y 2E1
Téléphone : 514 499-3000, télécopieur : 514 499-3010

Nous reconnaissons l'aide financière du gouvernement du Canada par l'entremise du Fonds du livre du Canada pour nos activités d'édition.

Gouvernement du Québec – Programme de crédit d'impôt pour l'édition de livres – Gestion SODEC.

Les Éditions Québec Amérique bénéficient du programme de subvention globale du Conseil des Arts du Canada. Elles tiennent également à remercier la SODEC pour son appui financier.

Conseil des Arts   Canada Council
du Canada   for the Arts

SODEC
Québec

Catalogage avant publication de Bibliothèque et Archives nationales du Québec et Bibliothèque et Archives Canada
Tibo, Gilles
Dans de beaux draps
(Noémie ; 23)
(Bilbo ; 204)
Pour enfants.
ISBN 978-2-7644-2452-0 (Version imprimée)
ISBN 978-2-7644-2631-9 (PDF)
ISBN 978-2-7644-2632-6 (ePub)
I. Laliberté, Louise-Andrée. II. Titre. III. Collection : Tibo, Gilles.
Noémie ; 23. IV. Collection : Bilbo jeunesse ; 204.
PS8589.I26D36 2013   jC843'.54   C2013-940945-9
PS9589.I26D36 2013

Dépôt légal : 3ᵉ trimestre 2013
Bibliothèque nationale du Québec
Bibliothèque nationale du Canada

Imprimé au Québec

GILLES TIBO

Noémie
Dans de beaux draps

ILLUSTRATIONS DE LOUISE-ANDRÉE LALIBERTÉ

Québec Amérique

1

Le rêve et le réveil

Cette nuit, j'ai fait le plus beau rêve de toute ma vie de Noémie. J'ai rêvé que j'étais une gymnaste, mais pas n'importe quelle gymnaste... une gymnaste super-championne, une merveilleuse acrobate qui se lançait dans les airs pour exécuter des vrilles, des flip-flap, ainsi que des dizaines, des centaines, des milliers de sauts périlleux sur des coussins, des matelas et des tremplins. Je participais à toutes sortes de compétitions, à toutes sortes de Jeux olympiques, à toutes sortes

de championnats du monde, et chaque fois, je gagnais la médaille d'or avec mon nom écrit dessus en grosses lettres dorées...

À la fin de mon rêve, sous les applaudissements d'une foule en délire, je sautais sur un trampoline plus grand qu'une piscine olympique. Mes jambes ressemblaient à de véritables ressorts.

Je montais dans les airs comme un boulet de canon

lorsque soudain, BANG! je me suis cogné la tête contre le plafond du stade qui était aussi haut que la Voie lactée. Et là, j'ai senti que mes bras ne m'obéissaient plus, que mes jambes ne m'appartenaient plus, que mon corps tout entier était comprimé, compressé. Je tombais et je ne pouvais m'agripper à rien! Je m'approchais du sol à la vitesse de la lumière! Dans trois

secondes, j'allais m'écrabouiller par terre. Dans deux secondes, j'allais me briser les os. Dans une seconde, il n'y aurait plus de Noémie!

AU SECOURS!

À MOI!

À L'AIDE!

AAAAAAAARRRRGGGG!

Je me réveille en sursaut!

J'ouvre les yeux. FIOU! Me voilà dans ma chambre. J'aperçois ma chaise et mon bureau. Tout va bien. Tout va très bien. Je suis en sécurité dans mon lit. Je me calme un peu en profitant de la chaleur de mes draps. Je repense à mon rêve de gymnaste et aussi à mon cauchemar… Pour me changer les idées, j'écoute les oiseaux qui chantent derrière la fenêtre à guillotine légèrement entrouverte. Pit! Pit! Pit!

En écoutant le chant des oiseaux, les miaulements d'un chat et le murmure du vent, je me décontracte un peu. Je me détends. Je pense à tout ce que je ferai aujourd'hui en compagnie de ma belle grand-maman Lumbago d'amour. Nous irons jouer au parc. Je lui montrerai toutes les culbutes et les vrilles que j'ai apprises dans mon rêve.

En songeant à la belle journée qui s'amorce, il me vient une irrépressible envie de quitter mon lit... Mais avant de me lever, je regarde les secondes qui s'égrènent sur mon réveille-matin. Je fais le décompte :

— Cinq... Quatre... Trois... Deux... Un...

Lorsque je dis ZÉRO, tous les muscles de mon corps se tendent comme des ressorts. J'essaie de me redresser d'un coup sec, mais je n'y arrive pas.

Impossible d'ouvrir les bras!

Impossible de bouger les jambes!

Je réfléchis à la vitesse de l'éclair, et soudain, mes cheveux se défrisent tout seuls. J'en arrive à cette conclusion terrible: mes ennemis de toujours, les intra-terrestres liquides, se sont transformés en intra-terrestres-liquides-invisibles afin de me retenir prisonnière dans mon lit!

AU SECOURS!!

À MOI!!!

À l'AIDE!!!!

2

Les intra-terrestres liquides

J'écarquille les yeux pour tenter de distinguer, dans la pénombre de ma chambre, les intra-terrestres liquides qui m'épient, qui attendent patiemment que je m'épuise et qui vont ensuite m'emporter dans leur monde... Par un procédé que je n'ai pas encore très bien compris, mes ennemis vont me faire glisser dans les tuyaux de la maison, puis dans les égouts de la ville. Je ne pourrai jamais retrouver le chemin du retour. Je deviendrai une petite goutte d'eau parmi des milliards d'autres petites gouttes d'eau. Ce n'est même pas du délire. C'est la vérité! Je le sais! Je le sens! Ma transformation a déjà commencé: j'ai chaud comme ce n'est pas possible. Mon corps est couvert de sueur. J'ai des frissons de chaleur. Mon pyjama est trempé comme une débarbouillette imbibée au maximum. Je me liquéfie de plus en plus. Bientôt, il ne restera de moi qu'une flaque dans le creux de mes draps. Il ne restera de moi que de minuscules gouttelettes avec des cheveux frisés...

En état de panique totale et avancée, j'essaie de bouger, mais la force invisible m'encercle toujours comme si de grandes mains me retenaient prisonnière.

Les dents serrées, les cheveux mouillés, je me débats. Je me tortille. Je gonfle mes poumons. Je raidis chacun de mes membres, mais je ne peux me libérer.

J'attends une minute, deux minutes, trois minutes… J'attends en me disant que des intra-terrestres liquides vont bientôt se manifester et, lorsqu'ils le feront, je tenterai de négocier avec eux. Alors, en patientant, j'essaie de trouver des arguments pour les empêcher de m'emporter dans les ténèbres des tuyaux et des égouts. Mais il est très difficile de réfléchir lorsqu'on est prisonnière dans son lit et que la fin approche à grands pas. Malgré tout, comme je veux éviter l'inévitable, il me vient quelques bonnes idées. Je dirai ceci aux intra-terrestres liquides :

1 – Je nage très mal, surtout dans des tuyaux.

2 – Je ne connais aucun plombier.

3 – Je n'ai jamais fait de plongée sous-marine.

4 – Je fais énormément de bulles sous l'eau.

5 – Je ne me suis pas lavée depuis trois semaines ! Donc, je suis sale. Donc, je polluerai toute l'eau !

6 – J'ai peur, très peur des poissons…

Après avoir songé à tout ce qui pourrait convaincre les intra-terrestres liquides de me laisser tranquille, j'attends qu'ils apparaissent. J'attends une autre, deux autres, trois autres minutes… Il ne se passe rien. Vraiment rien.

Mais soudain, j'entends des bruits étranges…

3

Les ultra-terrestres invisibles

Je tends l'oreille. Les bruits proviennent de dehors, par la fenêtre légèrement entrouverte. Ils ressemblent à des frôlements, comme si… comme si mes ennemis approchaient en catimini…

J'ai chaud. J'ai froid. Je tremble de partout.

J'entends des branches qui bougent, puis un piaillement, et ensuite un long miaulement… Fiou! Je me calme un peu. C'est seulement un chat qui s'est glissé sous ma fenêtre et qui a voulu attraper un oiseau.

Tout à coup, mes cheveux se dressent sur ma tête. Le rideau de ma fenêtre ondule légèrement… Quelques secondes plus tard, un léger courant d'air chaud frôle mes joues. PANIQUE! Mon cœur bondit dans ma poitrine. Je cligne des yeux. Je ferme à moitié mes paupières afin de percevoir l'invisible, l'invisible qui circule dans ma chambre. Mais je ne vois rien… rien que le rideau qui ondule… Incroyable!

Je décide de faire comme d'habitude lorsque tout va mal : j'essaie d'avoir une vision claire, nette et précise de la réalité… J'essaie de ne pas m'énerver inutilement… Bon!

Alors, je détends chaque centimètre de mon corps en ne pensant à rien, et je pense tellement à rien, que soudain, PAF! il me vient un éclair de génie. Je comprends tout! Je rigole dans mon lit! Hi... Hi... Hi... et Ha... Ha... Ha... La situation est simple : je me dis que je dois encore rêver et que mon réveil faisait partie de mon rêve, ce qui veut dire que, présentement, je rêve que je suis réveillée.

Donc, pour vérifier que je ne rêve plus, je me pince une cuisse avec le bout de mes doigts. OUTCH! Non, je ne rêve pas, je suis vraiment réveillée. Pour en être certaine, je me pince l'autre cuisse avec mon autre main. OUTCH! Non, je ne rêve absolument pas. Donc, si je suis réveillée, ça veut dire que je ne dors plus. Donc, si je ne dors plus, ça veut dire que je peux quitter mon lit. Alors, encore une fois, j'essaie de me lever, mais il m'est absolument impossible de bouger. La force très puissante et extrêmement invisible me retient toujours prisonnière. Je vais crier!

Avant de hurler de rage, je me rends compte que mes draps ne glissent pas sur moi. Ils roulent avec moi. Ils accompagnent mes mouvements!

Couchée sur le côté, je baisse la tête, ouvre de grands yeux ahuris et, en une fraction de seconde, je comprends tout! Je ne suis pas prisonnière d'une force maléfique. Non! Voilà ce qui s'est vraiment passé: pendant la nuit, en rêvant que j'étais devenue la meilleure gymnaste du monde, j'ai culbuté dans mon lit. J'ai gigoté de tous les côtés, si bien que, sans même le savoir, sans même le vouloir, je me suis empêtrée dans mes draps. Je ressemble à une grosse chenille. Une chenille qui s'appelle Noémie. J'éclate de rire encore une fois. Hi! Hi! Hi! et Ha! Ha! Ha!

En rigolant, je bouge un peu les mains. Je bouge un peu les orteils, mais je ne peux bouger le reste de mon corps. Mes chevilles sont retenues par l'extrémité des draps, enroulés sur eux-mêmes. Mes jambes sont emprisonnées par les couvertures nouées ensemble. Même mon pyjama est tout entortillé autour de moi. Le devant est rendu derrière et le derrière, devant. Je le sais parce que, présentement, je sens les boutons de mon pyjama dans mon dos. Je suis ficelée comme une momie enveloppée dans ses bandelettes.

Je réfléchis à la situation d'une façon méthodique et rationnelle et je trouve un bon truc pour me dégager de cette impasse passagère : je vais tout simplement me rendormir, puis je vais refaire mon rêve de gymnaste, mais, cette fois, en exécutant mes culbutes à l'envers et à reculons pour que les nœuds se défassent tout seuls...

Fière de mon idée, je me recroqueville dans ma prison de coton. Je ferme les yeux très fort et je m'efforce de me rendormir le plus rapidement possible. J'attends... mais je ne réussis pas… Il est vraiment difficile de replonger dans le sommeil sur commande, surtout un samedi matin… Alors, j'essaie la bonne vieille tactique que l'on voit dans toutes les histoires pour enfants : compter des moutons. Un. Deux. Trois… Mais en sautant par-dessus la clôture, les moutons me font toutes sortes de grimaces. Et puis, ils se mettent à exécuter des culbutes. Ils sautent à reculons, à l'envers. Ils s'empilent les uns par-dessus les autres. C'est la catastrophe !

Je délaisse les moutons pour compter des éléphants, des mouches, des zèbres. Finalement, les animaux se mélangent dans ma tête, ce qui donne des éléphants zébrés qui volent péniblement avec leurs petites ailes de mouche.

J'abandonne l'idée de me rendormir pour faire mon rêve à l'envers. Je tente plutôt de me dégager en me tortillant comme une chenille… Tortille d'un côté… Tortille de l'autre. Je me tourne et me retourne sur mon lit. Je gigote vers la gauche, vers la droite, mais au lieu de me dépêtrer, j'ai l'impression d'empirer mon cas.

Panique totale! Je vais devenir folle!

4

Ridicule !

Étendue sur le dos, je récapitule pour bien comprendre la situation. C'est la première fois de ma vie que je suis prisonnière de mes draps.

C'EST COMPLÈTEMENT RIDICULE !! Avec deux points d'exclamation.

Alors, je tente encore une fois de me dégager. J'essaie d'être plus intelligente que mes draps… Euh… Je fais de petits mouvements de bascule vers l'avant, mais il ne se passe rien… Je fais de petits mouvements vers l'arrière. Je ne suis pas capable.

Chaque fois que je veux me libérer, encore une fois, c'est le contraire qui se produit. Mes draps et couvertures et doudoune m'enferment de plus en plus.

C'EST COMPLÈTEMENT ET ABSOLUMENT RIDICULE!!! Avec trois points d'exclamation.

Je me dis: «Noémie, calme-toi!»

J'essaie… J'essaie, mais ça ne fonctionne pas… Je commence à m'énerver de plus en plus. Et plus je m'énerve, plus les draps se resserrent autour de moi, et plus les draps se resserrent, plus je m'énerve, et plus je m'énerve, plus j'ai chaud…

C'EST COMPLÈTEMENT ET ABSOLUMENT ET TOTALEMENT RIDICULE!!!! Avec quatre points d'exclamation.

Je me redis : « Noémie, calme-toi. » J'essaie d'inspirer profondément, mais il m'est pratiquement impossible de gonfler les poumons dans une telle situation catastrophique et épouvantable. Je tente encore une fois de me parler. Je me répète : « Noémie, calme-moi… Noémie, calme-moi… Noémie, calme-moi… » Mais je ne sais pas comment faire pour me calmer moi-même, moi! Je suis juste bonne à m'entortiller moi-même, moi!

C'EST COMPLÈTEMENT ET ABSOLUMENT ET TOTALEMENT ET ENTIÈREMENT RIDICULE !!!!! Avec cinq points d'exclamation.

Alors, dans un ultime effort pour me dégager, j'essaie de faire exploser chacun de mes muscles. Je me mets à gigoter à pleine vitesse. Je frétille sur mon lit comme une saucisse qui s'agite dans une poêle à frire en retombant sur le dos, sur le ventre, sur le côté. Mais, encore une fois, le problème s'aggrave au lieu de se résoudre. Les draps, comme des serpents, se resserrent autour de moi!

C'EST COMPLÈTEMENT ET ABSOLUMENT ET TOTALEMENT ET ENTIÈREMENT ET PARFAITEMENT RIDICULE!!!!!! Avec six points d'exclamation.

J'ai tellement chaud que je cesse de bouger pendant quelques instants. Mon pyjama est trempé de sueur. J'ai l'impression de me baigner, tout habillée, dans une piscine chauffée. Alors, il me vient une très bonne idée. Je vais faire comme les poissons qui semblent glisser dans l'eau. Je tente de me faire toute petite, toute petite… . En ondulant comme une truite, je m'efforce de m'extraire de mes draps, mais… mais je ne peux pas me dégager. Mon pyjama se colle sur ma peau. Et, à force d'onduler d'un bord et de l'autre, il s'entortille encore plus autour de moi. Et là, vraiment, mais vraiment, je deviens enragée !

CETTE SITUATION EST COMPLÈTEMENT ET ABSOLUMENT ET TOTALEMENT ET ENTIÈREMENT ET PARFAITEMENT ET PLEINEMENT RIDICULE !!!!!!! Avec sept points d'exclamation.

Comme une baleine échouée sur une grève, je me laisse choir sur mon lit. J'abandonne… J'abdique… Je démissionne…

Je renonce… Ou les quatre en même temps : J'abandissionne-déminonce !

Je me répète que la solution viendra… La solution viendra… Euh… la solution viendra de la solution que je vais trouver à l'instant… Rien… Rien… Rien… Et puis tout à coup, YOUPPI ! Ça y est, je suis formidable ! Il me vient une multitude de solutions plus extraordinaires les unes que les autres !

En une fraction de seconde, je deviens FORMIDABLE, EXTRA-ORDINAIRE, REDOUTABLE, MERVEILLEUSE, ÉTONNANTE, PRODIGIEUSE, FANTASTIQUE, FABULEUSE !!!!!!!! Avec huit points d'exclamation.

5
Les incroyables solutions

La solution la plus simple et la plus facile serait, évidemment, de crier à l'aide. Mais si je crie à l'aide, mes parents vont accourir dans ma chambre et ils vont tout de suite remarquer l'épouvantable désordre qui y règne. Avant de me libérer, ils vont en profiter pour me faire la morale. Ils vont me répéter, pour la dix millième fois, de faire le ménage de ma chambre, de ranger mes vêtements, de ne pas manger de croustilles dans ma garde-robe, de ne pas laisser de miettes de biscuits sur mon bureau... et patati... et patata... Ensuite, ils vont profiter de la situation pour me faire du chantage. Pour être délivrée de ma prison, je devrai jurer que jamais, jamais plus je ne laisserai traîner quelque chose dans ma chambre...

NON MERCI !

Ensuite, je les connais, mes parents, ils vont en profiter pour me faire promettre toutes sortes de choses que je ne veux pas, par exemple : devenir extrêmement studieuse ! Devenir extrêmement obéissante ! Devenir merveilleuse en tout temps et en toutes occasions ! Devenir parfaite !

NON ET NON MERCI !

Ensuite, une fois qu'ils m'auront libérée, je devrai passer toute la fin de semaine dans ma chambre pour y faire le grand ménage! Ranger mes affaires! Passer le balai! Épousseter partout!

NON ET NON ET NON MERCI!

Ensuite, ils vont en parler à ma bonne grand-maman Lumbago. Ensuite, ils vont raconter ma mésaventure aux voisins. Tout le monde dans le quartier va savoir que ce matin, je suis restée prisonnière de mes draps. On va rigoler... et finalement, le quartier au grand complet va penser que je ne suis pas très débrouillarde!

NON ET NON ET NON ET NON MERCI!

Je vais m'arranger toute seule! Mais le problème, justement, c'est que je suis toute seule dans ma chambre.

Je prends de grandes et profondes inspirations suivies par de grandes et profondes expirations. Puis, je décide de faire une dernière tentative pour me dégager. Je me tortille afin de me retourner sur le côté. Je relève un peu les genoux, puis je les laisse tomber pour rouler sur le côté droit. Ma tactique fonctionne à merveille! Je fais un tour complet sur moi-même comme un billot qui roule. Je fais un autre tour et là, en une fraction de seconde, je me rends compte que je m'approche du mur. Mais, oh horreur! il y a un petit espace entre mon lit et le mur. Un espace d'une vingtaine de centimètres.

J'essaie de ralentir ma rotation, mais il se produit exactement ce que je ne voulais pas qu'il se produise : je ne réussis pas à m'arrêter à temps. Je tombe dans cet espace et... et... et j'y reste coincée !!!!

Je ne peux plus bouger !

Je reste là, immobile, et je me demande bien ce que je vais faire...

Je recommence à gigoter de plus belle. Je me tortille comme un ver à chou... Et tout à coup, à force de tourner les pieds, les hanches et les épaules, je m'appuie contre le mur et il me semble qu'il recule. Oui, je ne rêve pas, le mur recule ! Incroyable ! Je continue de plus belle. Je pousse avec ma tête, et finalement je me rends compte que ce n'est pas le mur qui recule. C'est le lit qui s'éloigne du mur, centimètre par centimètre!

Je continue à pousser sur le mur avec mon dos, avec mon nez, avec mes genoux, avec tout ce que je peux, et puis lentement, très lentement, le lit s'écarte du mur. Soudain, mes pieds dégringolent en entraînant mes jambes... Mais, tout le haut de mon corps reste coincé entre le sommier et le mur. Alors, je continue à pousser et à pousser en essayant de ne pas me disloquer les épaules. Je pousse de toutes mes forces en gonflant les poumons et, sous la pression de mes muscles endoloris, le lit glisse sur le côté. Je tombe dans le vide et, comme dans mon rêve, le plancher s'approche à une vitesse folle!

BANG! J'atterris en pleine face sur le plancher et je me cogne le nez! OUTCH!

J'en ai assez!

En me tortillant, je réussis à me placer sur le dos. Je tourne la tête. Des crayons, des pièces de monnaie, un chausson abandonné, de vieux souliers traînent dans la poussière…

Je veux sortir d'ici le plus vite possible! Je tasse ma nuque sur le côté gauche. Ensuite, je pousse mes fesses sur le même côté. Je refais ce manège des dizaines et des dizaines de fois. Je me déplace, ainsi, de quelques centimètres à chaque mouvement, à la vitesse d'une chenille, en poussant sur le côté tout ce qui pourrait m'empêcher de quitter le dessous de mon lit.

Je me déplace si lentement que j'ai l'impression de traverser, sur le dos, le grand désert du Sahara.

En «chenillant», je me dégage de sous mon lit… Je m'approche de la fenêtre de ma chambre. Par le petit espace entrouvert, j'entends les bruits de la ville : des piétons sur le trottoir, des automobiles qui circulent, et puis, au loin, des sirènes d'ambulances, de voitures de police, de camions de pompiers…

Dans un ultime effort, je réussis à me tourner sur le ventre. J'appuie mon front sur le plancher. Je me recroqueville en faisant glisser mes genoux sous mon ventre, puis je me mets à genoux. Youppi!

Le cœur battant, j'avance les rotules, une par une, de quelques centimètres à chaque fois pour me rendre jusqu'à ma fenêtre…

Je passe ma tête sous le rideau et je reçois la lumière du soleil en plein visage. Dehors, il fait beau. Il fait chaud. Je regarde le ciel, les maisons d'en face, le trottoir. Et je me dis que je serai sauvée par le trottoir… Euh, je veux dire que

je serai sauvée par quelqu'un qui passera sur le trottoir. Avec mes yeux de lynx, j'épie les passants. Mais je ne peux demander à des étrangers de venir à ma rescousse. Je vois passer une vieille dame, un monsieur inconnu et soudain…

6

La petite Mireille

. . . Et soudain, j'aperçois Mireille, ma petite voisine, qui joue avec son amie Déborah. Elles sautent à la corde à danser. Ça y est. Je suis sauvée!

Je penche la tête sur le côté, m'approche de la fenêtre entrouverte, et je crie :

—Mireille!

Elle ne réagit pas. Elle continue de sauter à la corde en chantant une chanson complètement ridicule. Je prends une grande respiration. Je crie encore plus fort :

— YOUHOU ! MIREILLE !

En entendant son nom, elle cesse de sauter. Elle regarde vers sa maison, puis, ne voyant personne, elle reprend son jeu comme si de rien n'était. J'inspire profondément. Lorsque mes poumons sont remplis d'air, je penche encore la tête, j'approche ma bouche de l'entrebâillement de la fenêtre et je crie le plus fort que je peux :

— MIREILLE !

Encore une fois, elle cesse de sauter à la corde, et elle fait un tour complet sur elle-même en se demandant si elle n'a pas la berlue. Je lance :

—Mireille! C'est moi, NOÉMIE! Approche-toi de la fenêtre de ma chambre!

La petite Mireille tourne la tête et m'aperçoit enfin. Je lui dis encore:

—Viens ici, Mireille! J'ai besoin de ton aide!

Surprise, la petite Mireille s'approche en compagnie de son amie. Elle me fixe avec ses grands yeux:

—Noémie, qu'est-ce que tu fais?

—Rien… Rien… Je… Je joue…

—À quoi?

—Heu… Je joue à… je joue à la chenille…

—Toute seule?

—Oui, toute seule… Pourrais-
tu m'aider à ouvrir grand la
fenêtre de ma chambre?

—Bien sûr! Comment je fais?

—Tu passes tes doigts sous le
cadre et tu pousses vers le haut.

—D'accord!

Mireille passe ses petites
mains dans l'interstice. Elle tente
de relever la vitre. Elle force très
fort. Elle grimace. Elle relève les
épaules, mais la vitre ne monte
pas d'un centimètre. Sa copine
Déborah s'installe près d'elle. Je
dis :

—Un! Deux! Trois! Allez-y!

Les deux filles se cabrent. Elles
forcent tellement que leurs joues
deviennent rouges comme des
tomates. Mais, encore une fois, la
vitre ne bouge pas! Je dis :

—Bon, on ne se décourage pas! On essaie une dernière fois!

Les deux filles s'installent de nouveau. Elles essaient de relever la vitre et moi, pour les aider, je pousse avec ma tête, avec mes épaules, mais la foutue fenêtre ne s'ouvre pas. Elle est coincée. Il faudrait quelqu'un de plus fort, quelqu'un de très fort. Alors, je demande à la petite Mireille:

—Va chercher ta grande sœur! Dis-lui que Noémie est prisonnière dans sa chambre. Dis-lui qu'il y a une urgence! Dis-lui de ne pas sonner à la porte! Dis-lui de venir me libérer par la fenêtre!

Surprise, Mireille me dévisage avec de grands yeux ahuris. Je répète:

—Va chercher ta sœur Mélinda pour qu'elle vienne me libérer!

Sans dire un mot, Mireille m'adresse un hochement positif de la tête. Elle tourne les talons, puis elle disparaît en compagnie de sa copine.

Fiou! Dans quelques secondes, quelques minutes, je serai libérée. Toute cette aventure ne sera qu'un mauvais souvenir.

En attendant que mon amie Mélinda vienne me secourir, je me laisse glisser contre le mur de ma chambre et j'attends...

J'attends...

J'attends... Pour passer le temps, j'écoute distraitement les pas des piétons, les voitures qui circulent et, encore une fois, au loin, les sirènes des voitures de police, des ambulances et des camions de pompiers… Mais, après une minute, deux minutes, trois minutes, la petite Mireille n'est toujours pas revenue en compagnie de Mélinda.

Je réfléchis : ou bien Mireille m'a complètement oubliée… Ou bien Mélinda n'est pas à la maison. Ou bien, troisièmement, euh… Troisièmement, je ne sais pas. Je ne sais plus.

Bon ! Je vais me débrouiller toute seule. De peine et de misère, je réussis à me relever et à me tenir debout dans la prison de mes draps. Il me reste une dernière tentative à faire avant d'appeler mes parents.

À tout petits pas, je m'approche de mon bureau pour y apercevoir le plus bel instrument au monde :

une paire de ciseaux. Une paire de ciseaux pour découper toutes sortes de choses, mais surtout, pour découper des draps... Sauf que là, je constate que je ressemble à un pingouin. Il m'est impossible de m'emparer de ces ciseaux : mes deux draps sont prisonniers de mes bras... Je veux dire : mes deux bras sont prisonniers de mes draps !

Je me penche au-dessus de mon bureau et j'essaie de m'emparer des ciseaux avec ma bouche. J'essaie de toutes les façons possibles et inimaginables. Après quelques minutes, le cou tordu et la bouche en feu, je me relève en abandonnant la partie.

Découragée, j'examine le dessus de mon bureau, mais je ne vois rien qui puisse m'aider :

des cahiers, des crayons, des gommes à effacer…

Clopin-clopant, je pivote sur moi-même comme un pingouin afin de trouver quelque chose… quelque chose qui pourrait m'aider à me libérer.

Et tout à coup, en regardant la porte de ma chambre, il me vient une idée géniale!

7

Le clou!

Je m'avance le plus rapide-ment possible vers la porte de ma chambre. Je saute à pieds joints pour éviter les petits obstacles. Je plie mes genoux, puis je les tends comme des ressorts. Je saute par-dessus une paire de chaussons.

Super!

Ensuite, je fais trois bonds d'affilée par-dessus un livre, par-dessus un soulier, par-dessus un sac de croustilles.

Excellent!

Je m'avance vers la porte à une vitesse folle. Je crois bien que je pourrais devenir une championne olympique de cette discipline : le saut d'obstacles, emprisonnée dans des draps !!!

Fière de moi, je replie encore les genoux pour m'élancer par-dessus un ballon. Je bondis dans les airs.

Fantastique !

Mais soudain, en posant les deux pieds par terre, je sens que… je sens que je perds l'équilibre ! Non ! Non ! Je ne veux pas ! Je commence à osciller comme une quille qui va bientôt tomber. NON ! Je ne veux pas ! Je ne veux pas ! Même si j'essaie de rétablir mon équilibre en pliant les genoux, en montant sur le bout de mes orteils ou en sautillant par derrière, je commence à chanceler de plus en plus! Je vais tomber! Je vais tomber! Non! Non! Je refuse! Je vais encore une fois me frapper le front ou le nez ou le menton sur le plancher parce que je ne pourrai pas me servir de mes bras pour me protéger!

Et puis, il arrive ce qui doit arriver dans une pareille situation. Je vacille de plus en plus. Je perds l'équilibre et, comme une quille qui vient d'être frappée par une grosse boule invisible, je tombe sur le dos. BANG! Je me frappe le crâne sur le plancher. RE-BANG! Des étoiles filantes, des planètes, des galaxies tournent dans ma tête… Étendue sur le plancher de ma chambre, j'attends quelques minutes, puis, complètement

enragée, je me relève sur mes genoux et ensuite sur mes pieds.

En trottinant le plus vite possible, et en donnant des coups de pied sur tout ce qui traîne sur mon plancher, je m'approche de la porte de ma chambre. Sur cette porte, mon père a planté un gros clou pour que j'y suspende mon linge. Avec mes dents, je décroche mes deux chemisiers. Et qu'est-ce que je vois, là, devant moi? Un beau clou avec une belle tête! Et qu'est-ce que je fais? Dans un mouvement de va-et-vient, je commence à frotter l'arrière de mes épaules sur ce clou. Et qu'est-ce qui arrive? Il se produit exactement ce que j'avais prévu. Le tissu s'accroche au clou, ou le clou s'accroche au tissu, ou les deux à la fois... Bientôt, très bientôt, je serai libre ! Libre sans l'aide de personne ! Tra-la-la-la-la !!!

En restant le plus calme possible, je continue mon mouvement de va-et-vient. Je sens que la tête du clou a déjà commencé à déchirer le drap qui me retient prisonnière. Au loin, j'entends une sirène… de voiture de police… et je pense à tous les prisonniers qui voudraient quitter leur prison… comme moi…

Pom ! Parapatapom ! Pom ! Pom !

La sirène se fait entendre, de plus en plus proche… Étrange !

Je continue à me libérer ! La sirène hurle, plus proche encore ! Vraiment étrange !

Moi, je serai libérée dans quelques minutes !

Et tout à coup, par la fenêtre entrouverte, j'entends rugir une multitude de sirènes. Les bruits résonnent en écho jusque dans le fond de ma chambre. Je cesse de me frotter le dos contre le clou et j'écoute. Je distingue trois sortes de sirènes : police, ambulance, pompiers. Incroyable ! Il doit s'agir d'un feu ou d'un accident au coin de la rue...

Je continue à me frotter le dos contre la tête du clou. Mais soudain, dans un vacarme épouvantable de sirènes et de pneus, de lourds véhicules s'arrêtent devant chez moi. Je ne peux les voir, mais je les entends très bien par l'ouverture de ma fenêtre. La lumière des gyrophares passe et repasse sur la surface de mon rideau comme sur un écran de cinéma.

C'est sans doute un voisin, malade, qui doit se rendre à l'hôpital…

Dehors, des portes de métal claquent. Des gens s'énervent sur le trottoir en face de la maison. Je ne comprends plus rien.

J'entends des pas s'approcher. Tout à coup, je sursaute. Quelqu'un sonne à la porte d'entrée : DING ! DONG ! DING ! DONG ! Puis, BANG ! BANG ! BANG ! On frappe ! La maison en tremble sur ses fondations.

Et puis, tout se passe tellement vite que je n'ai pas le temps de comprendre ce qui arrive ! Encore une fois, BANG ! BANG ! BANG ! On frappe contre la porte d'entrée. Une petite voix crie :

— C'est ici ! C'est ici !

Et catastrophe, j'entends mon père qui galope dans le corridor, qui passe devant ma chambre, qui accourt dans le vestibule. Il ouvre la porte d'entrée et, la voix complètement paniquée, il s'exclame :

—Quoi? Euh! Que se passe-t-il?

Une grosse voix répond :

—Nous avons reçu un appel d'urgence!

—Euh! Personne n'a téléphoné pour une urgence, dit mon père.

—C'est une petite fille qui l'a fait au sujet d'une autre petite fille qui serait prisonnière!

Je reconnais la voix de Mireille qui répète :

—C'est moi! C'est moi!

—Il n'y a pas de prisonnière ici, répond mon père. Il n'y a que ma fille Noémie. Elle dort dans son lit. Il doit s'agir d'une erreur!

Mon père se précipite aussitôt vers ma chambre. Il tourne la poignée, et il ouvre la porte d'un coup sec.

Je suis tellement surprise que je n'ai pas le temps de crier «ATTENTION! JE SUIS DERRIÈRE LA POR…»

8

Stupéfaction générale

PAF! Je reçois la porte en plein sur la nuque. OUTCH! Je perds l'équilibre. Je tombe par en avant, mais comme je commence à avoir une certaine habitude de la chose, je plie les genoux pour amortir ma chute. Raté, le résultat est toujours le même : je me retrouve encore une fois sur le plancher!

OUTCH, mon nez!

Mon père, complètement sidéré, m'aperçoit sur le sol, entortillée dans mes draps.

Il s'approche d'un bond, se penche, me demande :

— Ça va, Noémie ?

— Oui, ça va…

— Mais à quoi tu joues ?

— Je ne joue à rien…

— Alors, qu'est-ce que tu fais là ?

— Rien, je ne fais rien…

La petite Mireille, accompagnée par sa mère, se glisse entre mon père et un très grand policier. Elle dit, en me désignant :

— C'est elle, la prisonnière !

— Noémie, je ne comprends plus rien, s'écrie mon père, qui cherche le bout d'un drap pour me libérer.

Mireille ajoute :

— Noémie, je t'ai sauvé la vie, comme dans les films !

Un immense pompier apparaît derrière le policier. Puis, un ambulancier fait irruption sur les lieux du drame. Tout le monde me fixe. Stupéfaction générale. On regarde le grand désordre de ma chambre. Dans l'affolement général, mon père continue de chercher le bout du drap pour me libérer. Ses mains tremblent. Il dit, comme s'il me parlait, comme s'il se parlait à lui-même et comme s'il parlait à tout le monde en même temps :

— Ça va aller… Ça va aller… C'est une méprise… Dans trois secondes, ce sera terminé…

Le policier s'approche à son tour. Il se penche au-dessus de moi :

— Tout va bien, ma petite ?

—Heu… oui, tout va bien, monsieur le policier… Heu… Dans trois secondes, le drame sera terminé!

Mon père se tourne vers le policier:

—Oui, oui, tout va bien… Excusez-nous pour le dérangement… Je vais m'en occuper!

Le policier se relève, penche la tête sur le côté et dit à un petit micro attaché à son épaulette:

—O. K. Tout est réglé! Fausse alerte!

L'ambulancier et l'immense pompier tournent les talons en soupirant:

—Non mais… Ça se peut-tu? En vingt ans de carrière, je n'ai jamais vu ça!

Le policier place sa main sur son oreille. Il semble écouter attentivement ce que quelqu'un lui dit dans son oreillette. Il ouvre de grands yeux, puis il se dirige vers le vestibule en disant :

—Je dois quitter les lieux ! Une véritable urgence m'appelle !

Le policier s'éloigne. La portière de son véhicule claque. La sirène retentit, puis s'éloigne dans un vrombissement de moteur. L'ambulance et le camion de pompiers s'en vont à leur tour.

La maman de Mireille demande si nous avons besoin de quelque chose. En essayant toujours de me libérer, mon père répond :

—Merci ! Tout va bien ! Tout va très bien !

Mireille et sa mère sortent et referment la porte d'entrée derrière elles. Je les entends marcher sur le trottoir.

Silence dans la maison.

Mon père soupire un grand coup. Il me regarde, enveloppée dans mes draps. Puis, à ma grande surprise, il éclate de rire. Hi! Hi! Hi! et Ho! Ho! Ho! Après avoir ri un bon coup, il dit:

—Noémie, tu es quand même incroyable!

—Euh… Merci! Mais ce n'est pas de ma faute!

—Il faudrait que ta mère voie ça!

—Elle est où, maman?

—À son cours de yoga! Elle devrait revenir d'une minute à l'autre!

En soulevant les pieds pour ne pas écraser toutes les choses qui traînent sur le plancher, mon père se rend jusqu'à la fenêtre. Il ouvre le rideau, revient vers moi, se penche de nouveau, me regarde et me redemande:

—Mais à quoi jouais-tu, Noémie? À la chenille? Au ver à chou?

En essayant de sourire pour sauver mon honneur, je réponds:

—Je jouais à la prisonnière!

—Prisonnière comment?

—Prisonnière comme un prisonnier qui ne peut s'échapper!

Mon père s'assoit sur mon lit:

—Si je comprends bien, tu es vraiment, mais vraiment prisonnière de tes draps?

Je ne réponds rien… En espérant qu'il ne profite pas de la situation pour me faire la morale, je fais semblant d'avoir beaucoup de plaisir… Je chantonne un petit peu… Je siffle entre mes dents… Je me roule sur le plancher en répétant :

—Attention ! Le ver à chou attaque !

Puis, je demande encore :

—Maman va revenir quand, exactement ?

Mon père consulte sa montre :

—Dans quelques minutes, je te l'ai dit tout à l'heure.

Il balaie le plancher du regard… J'attends le sermon concernant le désordre dans ma chambre…

Soudain, mon père me fait un étrange sourire. Il se penche, passe ses mains sous moi et me soulève en murmurant:

—M... M... M... Ma belle petite Noémie d'amour!

Ensuite, il me dépose sur son épaule comme si j'étais un sac de pommes de terre.

—Mais, papa, qu'est-ce que tu fais?

Pour toute réponse, il m'emporte dans le corridor! Je suis tellement surprise que je reste bouche bée.

9

Supplice dans la cuisine

Mon père me transporte jusqu'à la cuisine et me dépose sur une chaise. Ensuite, il s'assoit et commence à siroter son café en lisant le journal du matin. Il ne s'occupe pas de moi. Il ne me libère pas!

Tout à coup, la porte d'entrée s'ouvre. Ma mère lance un «Bonjour, tout le monde!» qui retentit dans la maison. Elle s'avance dans le corridor, lève la tête et m'aperçoit, ficelée dans mes draps.

—Noémie! À quoi joues-tu, ce matin?

—Je ne joue à rien! Je suis vraiment prisonnière de mes draps! Et personne ici ne veut me libérer!

Mon père regarde ma mère avec un petit air complice que je n'aime pas du tout.

—Ma chérie, nous avons vraiment une fille formidable, pleine d'imagination et tout et tout…

Moi, je ne réponds rien, mais je fulmine. Et ma mère, au lieu de me délivrer, s'assoit au bout de la table. Elle m'observe avec ses petits yeux rieurs:

—Ah, ce qu'on est bien, tranquilles, à la maison!

—Ouiiii, murmure mon père, avec un petit sourire de contentement.

Juste au moment où je vais ouvrir la bouche pour lancer mon premier hurlement, mon père se tourne vers moi pour me demander si je veux des céréales ou si je préfère des rôties.

Je réponds sèchement :

— Des rôties.

Il dépose deux tranches dans le grille-pain :

— Un petit jus d'orange, Noémie ?

— Oui !

Il emplit un grand verre de jus d'orange, puis il se rassoit près de moi. Exactement comme si j'étais un bébé, il me fait boire à petites gorgées. Il essuie ma bouche avec une serviette de table. Ensuite, il étend du beurre

d'arachides sur mes rôties. Il me fait manger comme si j'étais encore sur ma chaise haute.

—Ça me rappelle de bons souvenirs, soupire ma mère.

—Ouais, c'était le bon vieux temps, ajoute mon père, le sourire aux lèvres.

Moi, je ne dis rien, mais je suis de plus en plus enragée contre mes parents.

Après avoir bu mon jus d'orange et avoir mangé mes rôties, je me souviens d'un reportage que j'ai vu à la télévision, un reportage concernant les enfants maltraités. En serrant les mâchoires, je dis :

—Si vous ne me libérez pas tout de suite, je vais me plaindre à la DPJ…

Mon père et ma mère ne répondent rien… Ils boivent leur café en souriant béatement.

Je ne sais plus quelle tactique employer pour qu'on m'extirpe de mes draps. Et il n'est pas question que j'implore mes parents en leur promettant de faire le grand ménage de ma chambre ou en leur jurant que je deviendrai la fille la plus sage de la planète.

Pendant qu'ils font semblant de rien, moi, de mon côté, je réfléchis comme un véritable ordinateur. Après avoir analysé la situation, j'en arrive à cette conclusion : la seule personne qui pourrait me sauver, c'est ma grand-maman Lumbago, qui habite juste au-dessus de chez moi.

En songeant à ma grand-maman chérie d'amour en sucre d'orge, il me vient une tellement bonne idée, que je commence à gigoter sur ma chaise. Je fais plus que gigoter : je frétille, je me trémousse, je me tortille. Je me « gimoustilletorgote ». Mon père me demande :

— Qu'est-ce qui te prend, Noémie ?

— Rien ! Tout va bien ! Tout va très, très bien !

10

Drame au téléphone

Devant mes parents éber-
lués, je ferme les yeux et je
pense très fort à ma belle grand-
maman Lumbago. Je pense à
elle… Je pense à elle… Je pense
à elle… Dans ma tête, je répète :
grand-maman, venez me
sauver… Grand-maman, venez
me sauver… Grand-maman,
vous êtes ma dernière chance
de survie !

Une minute plus tard, DING !
DONG ! comme par magie, la
sonnerie de la porte d'entrée
retentit dans toute la maison.
J'ouvre les yeux :

—Ça y est! J'ai réussi! Je le savais!

Mon père quitte sa chaise. Il se dirige à l'avant. Il ouvre la porte… Mais, déception totale. Je l'entends discuter avec quelqu'un. Ce quelqu'un n'est pas ma grand-maman, c'est un vendeur de quelque chose… Mon père revient dans la cuisine avec, à la main, deux tablettes de chocolat. Il m'en offre un morceau, mais je refuse:

—Non merci! Je dois rester concentrée.

—Concentrée sur quoi?

—Sur rien… de toute façon, tu ne pourrais pas comprendre!

Je referme les paupières, je me re-concentre au maximum. «Grand-maman, venez me sauver!

Venez me sauver! Venez me sauver!»

À peine quarante secondes plus tard, le téléphone cellulaire de mon père vibre sur la table. Ça y est! J'ai réussi! Mon père s'empare de l'appareil et commence à parler… de chiffres et de factures avec un collègue de travail… un samedi matin!

Double déception!

Je referme les paupières, je me re-concentre au maximum. « Grand-maman, venez me sauver! Venez me sauver! Venez me sauver!»

Trente secondes plus tard, c'est l'ordinateur portatif de mon père qui fait Bliup! parce qu'il vient de recevoir un courriel. Et ce n'est sûrement pas un courriel de ma belle grand-maman d'amour en chocolat. Elle est incapable de se servir d'un ordinateur.

Triple déception!!!

Mais je ne me décourage pas. Je referme les paupières le plus serré possible. Je me re-concentre au maximum. Je refais le vide au maximum et je repense au maximum à grand-maman. «Vite! Venez me sauver! Venez me sauver! Venez me sauver!»

Vingt secondes plus tard, le téléphone cellulaire de ma mère sonne dans son sac à main. Ça y est! J'ai réussi!

Quadruple déception!!!

Ma mère s'entretient avec une amie d'enfance. Elle parle de tout et de rien, mais surtout de rien… Mon père discute avec son collègue de travail. Pendant que mes parents papotent, moi, les yeux fermés, je reste concentrée. Je répète toujours «Grand-maman, venez me sauver! Grand-maman, venez me sauver! Grand-maman, venez me sauver!».

Et puis soudain, DRING! la sonnerie du téléphone ordinaire résonne dans toute la cuisine. Ça y est! J'ai réussi! Mais oups! Mes deux parents sont déjà occupés avec leurs téléphones cellulaires et la seule personne qui pourrait répondre au téléphone de la maison, c'est moi. Sauf que je ne peux pas! Mes bras sont coincés!

DRING! Un coup. DRING! DRING! Deux coups. DRING! DRING! DRING! Trois coups. DRING! DRING! DRING! DRING! Quatre coups…

Finalement, mon père dit à son collègue :

— Attends juste un instant.

Mon père se lève, s'approche du comptoir, regarde l'afficheur du téléphone de la maison et dit, sur un ton neutre qui fait voler mes espoirs en éclats :

— Ah ! C'est ta grand-maman ! Nous la rappellerons plus tard !

Je ne peux m'empêcher de lancer :

— Réponds ! Vite ! C'est peut-être une urgence !

Surpris par ma réaction, mon père décroche le récepteur :

— Allo !

Incroyable ! C'est vraiment ma vraie grand-maman pour de vrai qui est à l'autre bout de la ligne ! Ma tactique a fonctionné à 200 %.

Je suis une championne de la communication télépathique. Mon père lui dit :

—Oui, oui, je crois qu'il nous reste du savon pour laver les vêtements !

Ma mère, son cellulaire à la main, confirme d'un petit hochement de la tête que nous en avons bel et bien. Et moi, avant que mon père raccroche, je crie à tue-tête :

—AU SECOURS, GRAND-MAMAN ! AU SECOURS ! JE SUIS PRISONNIÈRE DE MES DRAPS !

Panique dans la cuisine. Tout le monde s'énerve. Mon père le premier, avec un téléphone dans chaque main, qui essaie d'expliquer la situation à grand-maman et ensuite à son collègue de bureau. Il passe d'un appareil à l'autre en répétant :

— Ce n'est rien ! Noémie joue à la prisonnière ! Elle s'amuse !

Pendant ce temps, ma mère essaie d'expliquer la situation à son amie d'enfance :

— Oui, oui, tout va bien ! C'est Noémie ! Elle joue !

Je hurle à tue-tête :

— NON ! JE NE JOUE PAS ! AU SECOURS, MONSIEUR LE COL-LÈGUE DE TRAVAIL ! À L'AIDE, MADAME L'AMIE D'ENFANCE ! À MOI, GRAND-MAMAN !

Mon père, complètement dépassé par la situation, dit à ses deux interlocuteurs :

— Oui ! Oui ! Non ! Non ! Tout va bien ! Je vous rappelle plus tard !

Et moi, je hurle de plus belle :

—NON ! TOUT VA MAL !
AU SEEEECOURRRS ! NE
RACCCRRROCHEZ PAS !

Mon père raccroche. Ma mère
fait la même chose… Ils me
fixent tous les deux… Et puis,
plus rien ! C'est le silence total
dans la maison. Un silence que je
n'aime pas : un silence qu'on
entend, dans les films, juste avant
que le drame commence.

11

Au secours!

Tout à coup, BANG! la porte de l'entrée s'ouvre. Des petits pas s'approchent dans le corridor. Grand-maman apparaît dans la cuisine. Elle me demande:

—Mon Dieu Seigneur, Noémie, qu'est-ce qui t'arrive?

—Rien! Cette nuit, sans faire exprès, je me suis entortillée dans mes draps et personne, ici, ne veut me libérer! Heureusement que vous êtes arrivée!

Grand-maman me sourit, caresse mes cheveux, m'embrasse

sur le front! Mais, mais, mais elle ne me libère même pas! Elle s'assoit près de moi! Elle me regarde avec ses petits yeux rieurs:

—Noémie, je ne pensais pas que tu pouvais rester plus de trois secondes sans gigoter…

—Moi non plus, dit mon père.

—Moi non plus, ajoute ma mère.

Ils me regardent tous les trois avec un grand sourire… J'ai l'impression de me retrouver dans un mauvais rôle, dans un mauvais film. Je suis… Je suis complètement désemparée. Je n'en reviens pas, mais pas du tout!

Comme si nous vivions une situation absolument normale, ma mère quitte sa chaise. Elle descend au sous-sol, là où se trouve la laveuse, et revient en déclarant:

—Ah! finalement, il ne reste presque plus de savon!

—Mon Dieu Seigneur, ce n'est pas grave! J'irai en acheter tout à l'heure.

—Prenez ce qui reste, répond ma mère.

—Mais non, mais non, réplique grand-maman.

Et là, pendant plusieurs minutes, ma mère et ma grand-mère s'obstinent à propos du savon. Finalement, mon père fait cette brillante suggestion:

—Allons en chercher au dépanneur!

Comme tout le monde dans la cuisine dévisage mon père avec

un œil sceptique, il dit, en souriant de toutes ses dents :

— Mais oui ! Allons-y, ensemble, tous les quatre !

Puis, il ajoute :

— Noémie a besoin de prendre l'air ! Pauvre petite ! Elle est enfermée dans ses draps depuis si longtemps !

Mon père fait des signes à ma mère et à ma grand-mère pour leur signifier qu'il va s'occuper de mon cas.

— Bon ! Enfin ! Je serai libérée ! Il était temps ! Je commençais à avoir des fourmis dans les jambes, moi !

Pendant que ma mère et ma grand-mère se dirigent vers la sortie, mon père s'approche. Il se penche. Puis, sans aucun avertissement du destin, il se produit un événement que je n'avais vraiment, mais vraiment pas prévu.

12

VITE! VITE! VITE!

Mon père examine les draps qui me retiennent prisonnière. En rigolant, il me soulève, une deuxième fois, comme une poche de pommes de terre. Il m'installe sur son épaule et il commence à me transporter vers la sortie. Il n'en est pas question! J'en ai assez! Vraiment assez! Je hurle à tue-tête pour qu'on puisse m'entendre de l'autre côté de la planète:

—JE VEUX QU'ON ME LIBÈRE IMMÉDIATEMENT! IMMÉDIATEMENT! IMMÉDIATEMENT!

Aucune réaction de mon père qui m'emporte maintenant dans le corridor. Ma mère et ma grand-mère nous attendent dehors sur le trottoir. Alors, là, vraiment, je n'en peux plus! Mon sang bout dans mes veines! Je vais éclater! Et juste au moment où je m'ap-prête à faire la pire crise de nerfs de toute ma vie de Noémie, il me vient à l'esprit un argument massue. Un argument béton. Un argument dont j'aurais dû me servir dès le début... Mine de rien, j'approche ma bouche de l'oreille de mon père et je lui murmure:

—J'ai extrêmement envie de faire pipi... tout de suite!

Lorsqu'il entend ces mots, mon père cesse de marcher. Il devient immobile comme une statue. Je répète, pour être certaine qu'il a compris mon message :

— J'ai tellement envie de faire pipi que je ne peux plus me retenir!

Aussitôt, mon père me dépose sur le plancher.

— J'ai tellement, tellement envie que… oups!

Aussitôt, mon père crie à ma mère et à ma grand-mère :

— La blague est terminée! Il y a une urgence!

Elles se précipitent dans la maison. La porte claque derrière elles. Je leur dis, en tapant du pied :

— Vite! J'ai très, très envie!

En panique, mon père, ma mère et ma grand-mère s'accroupissent. Six mains se précipitent vers moi. Trente doigts commencent à inspecter les liens qui me retiennent prisonnière. Et moi, juste pour le plaisir de mettre de la pression, et aussi, je l'avoue, pour me venger un peu, je trépigne sur place en vociférant:

— Vite! Vite! Je ne pourrai pas me retenir plus longtemps!

Les six mains s'activent de plus belle, et s'énervent de plus en plus.

— VITE! VITE! VITE! SINON, CE SERA LE DÉLUGE SUR LE PLANCHER!

Mes geôliers se crispent de plus en plus. Et moi, je trépigne de plus en plus pour qu'ils s'énervent de plus en plus.

— Noémie, arrête de bouger, soupire ma mère.

—Noémie, pour l'amour du ciel, cesse de gigoter de la sorte, ajoute grand-maman.

—Le bout du drap est ici! lance soudainement mon père.

—Non, le nœud est là, répond ma mère.

—Oh! Il y en a un autre là! Et ici! Et devant! Et derrière, constate grand-maman.

—VITE! VITE! VITE! JE N'EN PEUX PLUS!

—Noémie, cesse de gigoter!

—Noémie! On fait notre possible!

—Noémie, retiens-toi encore un peu!

—VITE! VITE! VITE! À MOI! AU SECOURS!

Mes pieds martèlent le plancher. Mes genoux se frappent

l'un contre l'autre. Mes jambes ressemblent à des ressorts qui s'étirent et se contractent. En me tordant la figure et en empruntant mon air le plus désespéré possible, je crie :

—VITE ! JE NE PEUX ME RETENIR PLUS LONGTEMPS !

—Noémie ! On te libère tout de suite !

—Noémie ! Attends quelques secondes !

—Noémie ! Fais un dernier effort !

Les mains de mes parents et de ma grand-mère s'activent comme des petites fourmis. Moi, je gigote, je tourne sur moi-même et je palpite comme les ailes d'un papillon en criant :

— VITE! VITE! VITE! DANS TROIS! DEUX! UNE SECONDE, IL SERA TROP TARD!

13

La vraie grande surprise

Et puis soudain, DING ! DONG ! la sonnerie de la porte d'entrée nous fait sursauter. Mais tout le monde est tellement affairé que personne ne réagit, et c'est tant mieux.

—VITE ! VITE ! VITE ! LIBÉREZ-MOI !!!

La sonnerie de la porte retentit encore. DIING ! DOONG ! Mes parents et ma grand-mère s'énervent de plus en plus. Mais personne ne va répondre.

—Ça y est! s'écrie ma mère! Je viens de défaire un nœud!

—Moi aussi! s'écrie grand-maman.

—VITE! VITE! VITE! JE VAIS ÉCLATER!!!

DIIING! DOOOONG! DIIIING! DOOOOONG! La sonnerie de la porte résonne avec encore plus d'insistance. Je dis en un seul souffle :

—Ce n'est pas le temps de répondre à la porte nous sommes ici tous les quatre aucun d'entre nous n'est en danger vite dépêchez-vous sinon je vais inonder le plancher!

Grand-maman, papa et maman accélèrent le processus de libération. Mais, après seulement quelques secondes d'accalmie : DIIIIING! DOOOOOONG! DIIIIIING!

DOOOOOOONG ! DIIIIIIING !
DOOOOOOONG!

Je répète en me tortillant sur
place :

— VITE ! JE ! AH ! C'EST LA FIN !

DIIIIIING ! DOOOOOOONG !
DIIIIIIING ! DOOOOOOONG !
DIIIIIIING ! DOOOOOOONG !

J'ignore qui est cette personne
qui insiste autant, mais je la
déteste déjà !

DIIIIIIING ! DOOOOOOONG !
DIIIIIIING ! DOOOOOOONG !
DIIIIIIING !
DOOOOOOOOONG!

Pendant que la sonnette
résonne dans tout l'appartement,
mon père, exaspéré, se lève d'un
bond pour aller répondre.

DIIIIIIIING !
DOOOOOOONG!

DIIIIIIIIING!
DOOOOOOOOONG!
DIIIIIIIIIING!
DOOOOOOOOOONG!

En serrant les poings et en répétant des mots que je n'ai pas le droit d'avoir entendus, mon père se rend au bout du corridor d'un pas lourd et menaçant. Il traverse le vestibule comme un guerrier prêt à affronter l'ennemi le plus redoutable. Il tourne la poignée. Il ouvre la porte d'un coup sec, et demande avec sa grosse voix:

—QUOI? QU'EST-CE QU'IL Y A?

Rien! Aucune réponse…

Étendue dans le corridor, entourée de ma mère et de ma grand-mère, je crois halluciner. Dans l'ouverture de la porte, j'aperçois un petit fantôme et un petit explorateur. Ils penchent tous les deux la tête vers l'avant pour mieux me regarder. L'explorateur s'exclame :

— WOW! Noémie! Il est donc bien beau ton costume de momie!

Et là, en entendant le mot «costume», PAF! je me souviens d'avoir été invitée à une fête costumée chez Julie. Avec tout ce qui m'est arrivé ce matin, je l'avais complètement oubliée, cette fête!

Pendant que tous les membres de ma famille restent figés sur place devant cette apparition soudaine, moi, je reconnais tout de suite la voix de mon ami Francis, très bien déguisé en explorateur. Je lui lance :

—Salut, Francis! Euh! J'arrive tout de suite!

Ensuite, j'essaie de deviner qui se cache sous le grand drap du fantôme, mais je n'en ai pas la moindre idée. Mon amie Mélinda? Mon amie Roxanne? Mon amie...

Soudain, le fantôme relève le drap qui recouvrait sa tête. Mon cœur veut exploser. J'aperçois Maxime! Le beau Maxime, le nouvel ami de Francis. Il me regarde... Il me sourit de toutes ses belles dents blanches comme de la neige... Il s'approche... Il regarde mes parents et ma grand-maman... Il s'exclame, avec du miel dans la voix:

—WOW! Noémie! Il est vraiment, mais vraiment très

impressionnant ton beau costume de momie!

Puis, il ajoute en faisant la moue:

— Tu es chanceuse d'avoir de l'aide. Moi, j'ai dû confectionner mon costume de fantôme tout seul!

Complètement sidérée, je réponds au très beau Maxime:

— Heu, oui! En effet! Je reçois beaucoup d'aide… heu… et… mais… mais mon costume de… de Noémie… heu, mon costume de momie… n'est pas encore tout à fait… terminé.

Alors que tous les membres de ma famille tentent de comprendre ce qui se passe, j'essaie d'imiter le très beau sourire du très beau Maxime et je demande, sur le ton le plus doux que je puisse émettre :

—Heu... Maintenant, ma chère maman d'amour, aurais-tu la gentillesse de prendre des ciseaux et de tailler un petit peu le tissu, ici, aux chevilles afin que je puisse marcher et courir plus facilement ?

Ma mère, figée par la surprise, ne réagit pas.

J'ajoute en susurrant :

—Maintenant, très chère grand-maman d'amour, pourriez-vous faire mon maquillage de momie en me dessinant de grands cernes sous les yeux ?

Ma grand-mère, immobile elle aussi, me regarde avec stupéfaction.

Puis, je susurre encore :

— Maintenant, mon cher petit papa d'amour, aurais-tu l'amabilité de libérer mes bras afin que je puisse bouger un peu?

Ma mère, ma grand-mère et mon père me dévisagent avec un air qu'il est très difficile de définir avec des mots. C'est un mélange de surprise, d'étonnement et de consternation. Ils ne savent plus quoi faire. Ils sont devenus comme trois statues de plâtre. Leurs six yeux, complètement écarquillés, me fixent… Alors, pour que la situation soit bien claire, je redemande gentiment, mais en appuyant fortement sur certains mots :

— S'il vous plaît! Pour terminer mon **joli costume de momie**, auriez-vous la **gentillesse** d'aller chercher des **ciseaux** et du

maquillage afin de ne pas faire attendre trop longtemps mes gentils **amis**, qui sont venus me **chercher** pour m'accompagner à une **fête costumée** chez ma copine **Julie**…

Ensuite, pendant que mes geôliers sont en train d'analyser et d'intégrer le message pourtant très simple que je viens de leur communiquer, moi, je profite de ce moment de silence pour faire des yeux doux au très beau Maxime, qui me sourit toujours avec ses belles dents blanches comme la lune.

Comme si elle sortait d'un mauvais rêve, ma mère s'active la première. Elle cligne des paupières, bouge la tête de gauche à droite, re-cligne des paupières, s'éloigne dans le corridor, farfouille quelques instants dans la salle de bain, puis, en me faisant un faux sourire, elle revient avec une trousse de maquillage et deux paires de ciseaux.

Pendant que je souris au très beau Maxime, ma belle grand-maman d'amour s'empare de la trousse, me fait un clin d'œil, et commence à me maquiller pour que je devienne une terrible momie.

—Grand-maman, n'oubliez pas de bien me poudrer le visage!

—Oui, Noémie…

—Et n'oubliez pas d'ajouter des rides très profondes autour de mes yeux!

—Oui, oui, Noémie…

—Et aussi autour de ma bouche!

—Oui, oui, oui, Noémie…

—WOW! WOW! WOW! s'exclame le très beau Maxime.

Pendant que grand-maman complète mon maquillage, mon père et ma mère, recroquevillés et armés de grands ciseaux, découpent les draps en faisant bien attention de ne pas me tailler en petits morceaux.

—Maman, n'oublie pas de rattacher les bandelettes autour de chacune de mes jambes!

—Oui, Noémie…

—Et n'oublie pas de bien les ficeler autour de chacune des chevilles pour que je puisse courir!

—Oui, oui, Noémie…

—Et n'oublie pas…

—Oui, oui, oui, Noémie, répète ma mère en serrant les mâchoires.

Pour détendre l'atmosphère, je dis au très beau Maxime :

—Mes parents, ils sont tellement gentils ! Et serviables ! Et compréhensifs !

Puis, j'ajoute :

—Papa, n'oublie pas d'attacher les bouts de tissu autour de mes bras…

—Oui, Noémie…

—Et autour de mes poignets !

—Oui, oui, Noémie…

—Il faut que je puisse marcher, jouer, courir, danser !

—Oui, oui, oui, Noémie…

Une fois le maquillage terminé, une fois les bandelettes attachées, je peux enfin lever les bras. Je peux enfin bouger les jambes. Je peux enfin redevenir moi-même ! Grand-maman s'exclame :

—Tu es devenue la plus terrifiante des momies !

—J'ose à peine te regarder, soupire ma mère.

—Je suis heureux de ne pas te connaître, ajoute mon père en rigolant.

—Il manque quelque chose, ajoute soudainement le très beau Maxime.

Tout le monde se tourne vers lui. Il rougit un peu, ce qui le rend encore plus... craquant, puis il dit :

—Oui, il manque des... heu... des ié-griffes !

—Des quoi ? demande Francis.

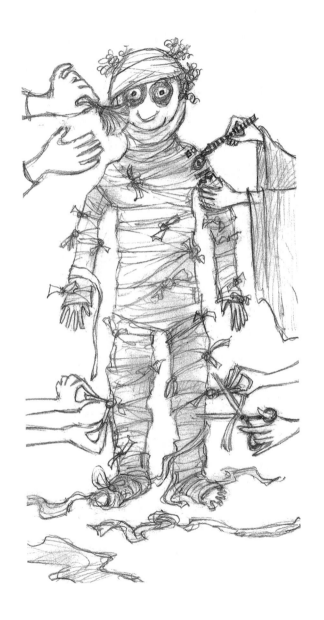

—Il manque de hi-aérogriffes, heu… je ne sais pas comment le dire. Il manque des dessins, des écritures égyptiennes.

—Ah! des hiéroglyphes, dit mon père.

—Oui, c'est ça… As-tu des crayons-feutres? me demande le très beau Maxime.

Je ne perds pas une seconde. Heureuse de pouvoir enfin bouger, je me lance dans ma chambre, ouvre le deuxième tiroir de mon bureau, m'empare d'un paquet de crayons-feutres et reviens dans le corridor.

Le très beau Maxime choisit le plus gros des crayons et commence à dessiner des hiéroglyphes sur les draps qui m'entourent. Je ne peux m'empêcher de m'exclamer:

— Wow! Maxime! Tu dessines vraiment bien! Wow! Tu es très bon dans les hiéroglyphes égyptiens. Wow! Un vrai génie de la momie!

Au bout de quelques minutes, le beau Maxime dessine un dernier hiéroglyphe dans mon dos… Il remet le bouchon sur le crayon-feutre, revient devant moi, et me regarde, perplexe. Je ne peux m'empêcher de demander:

— Quoi? Qu'est-ce qu'il y a?

— Il manque… quelque chose.

— Quoi?

— Tes bandelettes sont trop propres. Les vraies momies ont des bandelettes toutes vieilles et toutes sales!

Je suis sidérée. Tout le monde fait de grands yeux surpris. Je ne peux quand même pas vieillir de trois mille ans… en trois secondes… Soudain, je dis :

— Attendez-moi, une minute !

14

Rien ne m'arrête !

Je me précipite encore une fois dans ma chambre et tout le monde me suit. Devant les yeux étonnés de mes parents, de ma grand-mère, de Francis et du très beau Maxime, je m'approche de mon lit, me faufile en dessous et commence à me tortiller.

—Qu'est-ce qu'elle fait ? demande grand-maman.

—Aucune idée, répond mon père.

—Noémie ! Peut-on savoir ce qui te prend ?

Je reste silencieuse. Je me roule sur le plancher en cherchant chaque petit grain de poussière et en regrettant que mon plancher ne soit pas couvert de boue et de toutes sortes de choses sales comme des détritus, des restes de nourriture et d'autres affaires que je ne peux nommer ici.

Pendant que je remue sous mon lit, j'entends exactement les phrases que je ne voulais pas entendre. Ma mère dit en soupirant :

—Mais c'est le bordel total dans cette chambre !

—Il y a des traîneries partout, ajoute mon père. Il faudra faire le grand ména…

Heureusement, mon ami Francis vient à ma rescousse :

— Ce n'est rien! Moi, on ne voit plus le plancher de ma chambre tellement il y a de choses par terre!

— Moi, je ne peux même plus entrer dans la mienne! s'exclame le beau Maxime.

Bon, après avoir roulé plus de cent fois sous mon lit, je me relève. Je regarde le beau Maxime. Il m'examine et déclare:

— Ouais, c'est mieux. Tu es un peu plus sale et grise… Tu viens de vieillir de trois cents ans, mais tu ne ressembles pas encore aux anciennes momies égyptiennes que j'ai vues à la télévision.

Là, je l'avoue, pendant quelques secondes, il m'énerve, le très beau Maxime! Il m'énerve beaucoup… Mais comme il me sourit toujours avec sa bouche d'annonce de pâte dentifrice, je me calme un peu… Je réfléchis… Que puis-je faire pour avoir l'air d'une vieille momie qui sort directement d'une vieille tombe?

Soudain, j'ai une idée. Je dis:

— Attendez-moi ici!

Je quitte ma chambre en vitesse. Je me rends dans le corridor, j'ouvre la porte qui mène au sous-sol. Je descends les marches deux par deux. Je cours jusqu'au fond de la cave, et je m'arrête à l'endroit où mon père laisse traîner toutes sortes de choses comme la tondeuse à gazon, des pneus sales et de vieilles boîtes de carton remplies de bébelles huileuses et dégueu-lasses. Je m'étends sur le sol malpropre. Je me roule et je me tortille dans la poussière crasseuse… Cette poussière est tellement sale qu'elle est devenue noire… noire de salissures…

Je me relève, vérifie mon état de décrépitude, puis, constatant que je ne suis pas encore assez sale et vieille, je me relance par terre pour me rouler sous l'établi, puis tout près de la laveuse et de la sécheuse près desquelles traînent de gros paquets de poussière.

Maintenant, on croirait vraiment que mes bandelettes sont celles d'une vraie vieille, très vieille momie de trois mille ans. Sale et pleine de poussière, je remonte l'escalier en vitesse. Tout le monde écarquille les yeux en me voyant arriver en haut. Le très beau Maxime s'approche. Les prunelles brillantes

comme de l'or, il fait le tour de…
le tour de moi… Puis, il donne
son verdict, son verdict qui
ressemble à la plus belle phrase
de la journée, peut-être même de
la semaine, du mois, et sûrement
de l'année. Il dit :

—Noémie, tu es vraiment la
plus belle Noémie… heu, la plus
belle momie du monde entier !

En écoutant ces mots, mon
cœur commence à battre la
chamade. Je me précipite dans la
salle de bain pour me regarder
dans la glace. J'ai vraiment l'air
d'une vraie momie avec ma
figure blanche, mes yeux cernés
et mes bandelettes millénaires ! Je
m'effraie moi-même ! Je suis
incroyablement, excessivement,
épouvantablement effroyable !
C'est merveilleux ! C'est fantas-

tique ! Mon cœur bat à tout rompre. Je suis tellement énervée que je perds le contrôle de mon corps. Mes pieds commencent à trépigner. Mes jambes se plient et se tendent. Je sautille sur place. Mes bras gesticulent comme les ailes d'un oiseau qui serait devenu fou de joie. Devant les yeux éberlués de mes parents, de ma grand-mère, de Francis et du très beau Maxime, je quitte la salle de bain et je me lance dans le corridor pour effectuer une série de roulades qui me mènent à la cuisine. Là, je me relève, un peu étourdie, puis je me laisse tomber sur le dos pour exécuter une série de culbutes arrière qui me transportent dans le salon.

À cet instant précis, en songeant à mon rêve olympique de la nuit dernière, mais surtout

pour impressionner le très beau Maxime, je lève le bras et la jambe gauches afin d'exécuter une roue latérale sur les mains. Mais, en tournant sur moi-même, mon pied glisse sur le plancher. Je perds l'équilibre, et je fonce directement dans la bibliothèque. BANG! Une vingtaine de livres dégringolent sur ma tête. Je suis tellement énervée que je me relève d'un coup sec. Je replace les livres, pêle-mêle, sur les tablettes.

Un peu ébranlée par tout ce qui vient de se produire, et en jouant à la momie égyptienne qui viendrait juste de se réveiller après trois mille ans de sommeil profond, j'embrasse mes parents en leur disant:

—Un gros merci! Merci! Merci! De la part de Noémie…

Sidérés, mon père, ma mère et ma grand-mère me fixent avec des yeux aussi ronds et aussi grands que des roues de vélo. Puis, après quelques secondes, ma mère revient à la réalité : elle me fait un clin d'œil agrémenté d'une petite moue complice… Ma grand-maman chérie d'amour me regarde avec des yeux coquins, pendant que mon père me sourit béatement…

En levant les bras devant moi comme une momie somnambule, je m'approche de mes amis et j'emprunte une voix d'outre-tombe pour leur dire :

—Bon! Allons-y tout de suite! Sinon, nous serons en retard chez notre amie Julie!

Mais, juste avant de quitter la maison, mes parents et ma grand-mère, encore sous le choc de ce revirement inattendu, demandent, chacun leur tour, comme en écho :

—Noémie... Noémie... Noémie...

—Tu n'avais pas... n'avais pas... n'avais pas...

—Envie de... envie de... envie de...

En croisant les yeux du très beau Maxime, je rougis de la tête aux pieds, mais, heureusement, rien ne paraît sous mon maquillage et sous mon déguisement. Je réponds :

—Oh oui ! J'avais très, très, très envie... heu, envie... envie de faire le grand ménage de ma chambre… mais ce sera pour une autre fois !

Puis, je me lève sur la pointe des pieds. J'embrasse mon père, et je lui chuchote à l'oreille :

— En attendant, n'oublie pas de bien nettoyer le dessous de ton établi, c'est vraiment…

J'embrasse ma mère et lui murmure à l'oreille :

— Et n'oublie pas de passer l'aspirateur près de la sécheuse !

J'embrasse ma grand-mère en disant tout haut :

— N'oubliez pas de les surveiller pendant mon absence !

Mon père, ma mère et ma grand-mère ne répondent rien… À tour de rôle, ils lèvent la tête au ciel, ferment les yeux et soupirent un grand coup…

Je sais très bien ce qu'ils pensent… mais nous n'avons pas le temps de discuter. Je me sauve en compagnie de mon fantôme et de mon explorateur. La journée s'annonce bien : un bataillon de monstres inter-galactiques s'approche en sautillant sur le trottoir. Tout ce beau monde marche en direction de chez Julie.

Mais soudain, je lève les yeux et je regarde au loin. Mon cœur fait un double salto arrière. NON ! Ce n'est pas vrai !

15

Dernière surprise !

Je n'en reviens pas ! Je vois approcher, là, devant moi, deux autres de mes amies. Mira est déguisée en majorette et Roxanne... est déguisée... elle aussi... en momie !

Oui ! En véritable momie égyptienne !

Mais son costume est plus beau que le mien ! Plus réussi que le mien ! Plus spectaculaire que le mien. Ce n'est pas un faux déguisement confectionné avec des draps qui ont été roulés dans la poussière. C'est un vrai costume de momie qu'elle a acheté dans un vrai magasin de déguisements. Je n'en reviens pas ! Elle porte des bracelets et des colliers dorés qui brillent au soleil. On dirait une véritable momie qui vient tout juste de sortir de son sarcophage. En plus, elle tient de longs bâtons couverts d'hiéroglyphes, de vrais hiéroglyphes, qui datent de l'ancien temps.

En la voyant, le beau Maxime s'exclame :

— WOW ! Roxanne, il est vraiment chouette ton vrai costume de momie !

Et là, le beau Maxime, exactement comme s'il n'avait jamais vu de momies de sa vie, commence à poser toutes sortes de questions à Roxanne, qui se pavane sur le trottoir et qui sourit et qui fait des petits clins d'œil au beau Maxime.

Moi, j'en ai assez! Je veux rebrousser chemin. Retourner à la maison et… et ne rien faire.

Mais je n'ai pas le temps de tourner les talons que je vois apparaître quatre… quatre autres momies toutes plus incroyables les unes que les autres. J'en deviens tout étourdie! C'est une véritable conspiration!

Il y a maintenant six momies sur le coin de la rue. En nous voyant, les automobilistes klaxonnent. Des passants s'arrêtent, mais ce n'est pas moi qu'on regarde. Non! On regarde les cinq autres momies, plus belles, plus brillantes, plus ceci et plus cela!

Et là, tout à coup, en regardant toutes ces momies et tous ces personnages qui se rendent à la fête costumée, je cesse de marcher. Je me fige sur le trottoir comme... comme une véritable momie. Le beau Maxime arrête de complimenter toutes les autres momies, se retourne et me demande :

— Qu'est-ce que tu fais, Noémie ?

— Rien, je ne fais rien...

— Mais pourquoi tu n'avances plus ?

— Parce que... Heu... J'ai une crampe !

— Une crampe ?

— Oui, une crampe de momie !

— Où ça ?

— Ici! Une très grosse crampe au mollet!

Pour donner plus de crédibilité à ma crampe, je me laisse tomber dans l'herbe en hurlant de douleur :

— Oh que j'ai mal! Oh que j'ai mal!

Toute la bande de momies et de monstres intergalactiques s'approche en disant :

— Oh! Pauvre Noémie!

Le beau Maxime se penche et demande :

— Où ça, la crampe?

— Outch! Outch! Iciii… Juste iciiii! C'est mon mollet gauche…

Le beau Maxime examine mon mollet gauche. Il le palpe en disant :

— Je ne sens rien de spécial!

—Outch! Outch! C'est à l'intérieur de ma jambe! Je crois que je ne pourrai plus marcher de la journée, et même de la semaine!

—Qu'est-ce qu'on fait? demande Roxanne dans son bel habit de momie neuf.

Personne ne répond. Le beau Maxime me regarde en souriant…

—Veux-tu que je t'aide, Noémie?

—Ouiiiiiiii…

GILLES TIBO

Illustrateur pendant plus de vingt ans, Gilles Tibo a, un jour, délaissé les images pour les mots. Enthousiasmé par l'aventure de l'écriture, il a créé de nombreux personnages pour tous les âges et tous les publics. Ses livres, traduits en plusieurs langues, lui ont valu de nombreux prix tant au Canada qu'à l'étranger. Nous lui devons plusieurs séries à succès, dont la plus célèbre : la série des *Noémie*, déjà appréciée par des centaines de milliers de lecteurs.

LOUISE-ANDRÉE LALIBERTÉ

Quand elle était petite, pour s'amuser, Louise-Andrée Laliberté inventait toutes sortes d'histoires pour décrire ses gribouillis maladroits. Maintenant qu'elle a grandi, les images qu'elle crée racontent elles-mêmes toutes sortes d'histoires. Louise-Andrée crée avec bonne humeur des images, des décors ou des costumes pour les musées et les compagnies de publicité ou de théâtre. Tant au Canada qu'aux États-Unis, ses illustrations ajoutent de la vie aux livres spécialisés et de la couleur aux ouvrages scolaires ou littéraires. Elle illustre pour vous la série Noémie.

SÉRIE NOÉMIE

Noémie a sept ans et trois-quarts. Avec madame Lumbago, sa belle grand-maman d'amour en chocolat, Noémie apprend la vie. Au cours des différentes aventures, pleines de rebondissements et de péripéties, notre jeune héroïne découvre la tendresse, la complicité, l'amitié, l'amour et la persévérance… Coup de cœur garanti !

Fiches d'exploitation pédagogique

Vous pouvez vous les procurer sur notre site Internet
à la section jeunesse / matériel pédagogique.

www.quebec-amerique.com

 Visitez le site de Québec Amérique
jeunesse et obtenez gratuitement des
fonds d'écran de vos livres préférés !

www.quebec-amerique.com/index-jeunesse.php

Achevé d'imprimer au Canada
sur papier 30 % recyclé
sur les presses de Imprimerie Lebonfon Inc.

procédé
sans
chlore

30 % post-
consommation

archives
permanentes